les SCHTROUMPFS

Bébé pleure !

hachette
JEUNESSE

Une histoire originale d'Alain Jost et Thierry Culliford

© Peyo - 2009 - pour le texte et les illustrations. Tous droits réservés.

© Peyo - 2009 - Lic. i.M.P.S. (Brussels) - www.schtroumpf.com

Rue du Cerf 85, 1332 Genval, Belgique.
T. + 32 2 652 02 20 - F. + 32 2 652 01 60

© 2009, Hachette-Livre pour la présente édition. Tous droits réservés.
ISBN : 978-2-01-226575-2 – Édition 01 – Dépôt Légal : Août 2009
Loi n° 49-956 du 16 juillet 1949 sur les publications destinées à la jeunesse.
Imprimé en France par Clerc

Sommaire

Le Grand Schtroumpf

Plutôt qu'un chef, il est le sage,
l'ancien qui donne toujours
le bon conseil et prend toujours
la bonne décision.

La Schtroumpfette

À l'origine, elle était une créature
du sorcier Gargamel, mais le Grand
Schtroumpf l'a rendue gentille. Elle a
conservé un caractère bien trempé.

Le Schtroumpf Farceur

Il ne vit que pour faire des blagues. Il adore
offrir des cadeaux explosifs. De temps à
autre, ses farces se retournent contre lui,
ce qui fait bien rire ses compagnons.

Le Schtroumpf à Lunettes

Il se prend pour un grand intellectuel.
Il n'arrête pas de faire la morale
aux autres. C'est pourquoi il prend
souvent des coups sur la tête.

Le Schtroumpf Grognon

Opposé par principe à tout
ce qu'on dit ou propose,
il n'aime rien, n'est jamais
content et se plaint de tout.

Le Bébé Schtroumpf

Il arrive au village par erreur,
mais tout le monde l'adopte.
S'il rencontre le moindre problème,
la mobilisation est générale !

Ce matin, le Bébé Schtroumpf commence
la journée de bonne humeur. Quand la
Schtroumpfette ouvre les rideaux, il est déjà
réveillé. En la voyant, il se met à rire et lui
tend les bras…

Dans son bain, il s'amuse avec son petit canard. Il met de l'eau partout et tous ceux qui l'approchent repartent mouillés.
« Si j'avais su, dit le Schtroumpf Coquet, j'aurais pris un parapluie ou j'aurais schtroumpfé mon maillot ! »

La Schtroumpfette le sèche, l'habille,
puis l'installe au milieu de ses jouets.
Et soudain, les choses se gâtent : le bébé
a perdu son sourire.
« Hé bien, qu'est-ce qui t'arrive ? demande
la Schtroumpfette. Tu en schtroumpfes
une tête ! »

Pour seule réponse, le Bébé Schtroumpf se met à pleurer ! Il pleure si fort qu'on l'entend dans tout le village. Les Schtroumpfs accourent pour voir ce qu'il se passe.

« Il doit lui manquer un jouet, dit le Schtroumpf
à Lunettes. Tiens, c'est ton nounours que
tu veux ? »
Non, ce n'est pas ça ! Les pleurs du Bébé
Schtroumpf ne font que redoubler…
Les Schtroumpfs fouillent la maison dans
chaque recoin pour trouver le jouet qui
lui rendra le sourire.
Mais tous leurs efforts sont inutiles.

Le Schtroumpf à Lunettes pense qu'il pourra
calmer le bébé avec des friandises. Il lui
présente des sucettes, des sucres d'orge...
Mais il ne remporte aucun succès. Le Bébé
Schtroumpf lui tourne même le dos.

« Je lui ai apporté une crème glacée !
annonce le Schtroumpf Cuisinier. Vanille,
schtroumpf et framboise. Il adore ça ! »
Mais le Bébé Schtroumpf repousse
le cornet d'un grand geste. Le pauvre
Schtroumpf Cuisinier reçoit la crème
en pleine figure !

Tout ça n'est vraiment pas normal. Le Bébé Schtroumpf doit être malade ! Très inquiets, les Schtroumpfs l'emmènent chez le Grand Schtroumpf pour qu'il l'examine.

« Il n'a pas de fièvre, pas de boutons… Il ne paraît pas avoir mal au ventre… C'est sans doute une dent qui schtroumpfe ! conclut le Grand Schtroumpf. Promenez-le au grand air, ça le calmera peut-être. »

La Schtroumpfette, le Schtroumpf Coquet et le Schtroumpf à Lunettes mettent le Bébé Schtroumpf dans son landau et partent en balade. Au début, le bébé se calme un peu. Mais dès qu'ils arrivent à la mare, il se remet à pleurer quand il voit passer des canards. « Je n'y comprends rien ! dit la Schtroumpfette. Pourtant, il adore les canards ! »

La Schtroumpfette revient au village avec
le bébé sans avoir compris ce qu'il se passe.
« Je n'arrive pas à deviner ce qu'il veut,
soupire-t-elle. Je schtroumpfe ma langue
au chat ! »

Les pleurs et les cris du bébé finissent
par énerver tout le monde. L'un attrape mal
à la tête, l'autre se met des bouchons dans
les oreilles…
« Ça ne peut plus schtroumpfer comme ça !
s'écrient les Schtroumpfs. Il faut absolument
faire quelque chose pour le distraire ! »

Le Schtroumpf Musicien prend sa trompette pour lui jouer une sérénade. Mais, c'est une très mauvaise idée ! Quand le Schtroumpf Musicien joue, le résultat est si affreux que tout le monde a envie de pleurer !

Le Schtroumpf Farceur enfile son costume de clown. Il a beaucoup travaillé son numéro et, à chaque fête, il remporte une véritable ovation. Mais, aujourd'hui, il ne réussit même pas à faire sourire le bébé ! Et cela rend le Schtroumpf Farceur tout triste !

Plein de bonne volonté, le Schtroumpf
Maladroit veut montrer ses talents de jongleur.
Il se présente devant le Bébé Schtroumpf et
lance les balles bien haut…

Évidemment, il les reçoit sur la tête l'une
après l'autre. On ne pouvait rien attendre
d'autre du Schtroumpf Maladroit !
Tous les spectateurs éclatent de rire.
Tous, sauf le Bébé Schtroumpf !

Un spectacle de marionnettes aura
peut-être plus de succès ? D'habitude,
le Bébé Schtroumpf adore l'histoire du
Petit Schtroumpferon Rouge. Mais pas
aujourd'hui. Il continue à bouder !

Les Schtroumpfs ne reculent devant rien
pour essayer d'amuser le bébé.
Munis d'une grosse corde, ils vont au hangar
et ouvrent les portes toutes grandes.
« Allons, schtroumpfons tous ensemble !
lance le Schtroumpf Bricoleur. Oh, hisse ! »

Normalement, on ne sort le manège que pour la grande fête d'été. Mais, aujourd'hui, le Schtroumpf Bricoleur le met en marche juste pour le Bébé Schtroumpf.

Peine perdue ! À peine installé sur
le manège, le bébé se remet à pleurer.
Les Schtroumpfs secouent tristement la tête.
Cette fois, ils sont tout à fait découragés.
« Il n'y a rien à faire ! constatent-ils. On a
schtroumpfé tout ce qu'on a pu. Aujourd'hui,
rien ne peut le consoler ! »

« Je vais le ramener à la maison et le schtroumpfer au lit, dit la Schtroumpfette. Il finira par se fatiguer et s'endormir. Enfin, je l'espère ! »

Soudain, en arrivant chez la Schtroumpfette,
un miracle se produit. Le Bébé Schtroumpf
se dresse dans son landau en riant !
Qu'est-ce qui peut bien lui faire cet effet ?

« Je me demande ce qui l'amuse ! se dit
la Schtroumpfette. Le linge qui sèche ? »
Non, ce n'est pas le linge ! La veille, ils sont
allés nager au lac. Et, dans la pelouse, le bébé
a aperçu sa bouée en forme de canard...

Quand la Schtroumpfette lui donne la bouée,
le bébé l'embrasse et ne veut plus la lâcher.
« J'ai compris ! s'exclame la Schtroumpfette.
C'est ce canard-là que tu voulais, pour aller
nager comme hier ! »

La Schtroumpfette retourne au lac avec le Bébé Schtroumpf. Cette fois, il est vraiment heureux ! Pendant qu'il barbote dans l'eau avec son canard, surveillé par le Schtroumpf Costaud, la Schtroumpfette peut enfin se reposer. La matinée a été très dure pour elle !

Mais, soudain, le Schtroumpf Costaud
se met à crier…
« La bouée est percée ! Vite, appelez le
Schtroumpf Bricoleur pour qu'il y schtroumpfe
une rustine. Sinon, le bébé va recommencer
à pleurer ! »

Les jeux

Ombres

Quelle ombre correspond à la scène ?

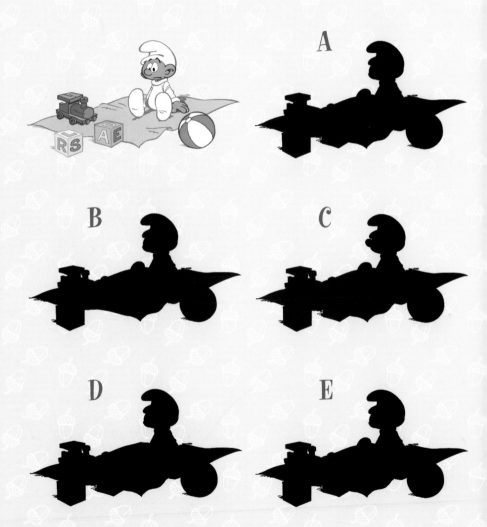

Puzzle

Remets les images dans le bon ordre
pour reconstituer ce que tu viens de lire.

1

2

3

4

5

Jeu des différences

Sept erreurs se sont glissées dans le deuxième dessin.
Sauras-tu les retrouver ?

Te souviens-tu ?

As-tu bien lu l'histoire ? Voici quelques
questions pour tester ta mémoire.

1- Quelle est, selon le Grand Schtroumpf,
la raison des pleurs du bébé ?

- Il a faim.
- Il a de la fièvre.
- Une de ses dents lui fait mal.

2- Quelle est la dernière tentative
des Schtroumpfs pour amuser le bébé ?

- Ils sortent le manège.
- Ils lui donnent des friandises.
- Ils l'emmènent en balade.

3- À la fin, quel Schtroumpf accompagne
la Schtroumpfette et le Bébé
Schtroumpf au bord du lac ?

- Le Schtroumpf Costaud.
- Le Schtroumpf à Lunettes.
- Le Schtroumpf Coquet.

Méli-mélo

La grande image est pleine de trous !
Trouve les morceaux manquants et montre
où ils doivent aller. Attention, il y a un intrus !

1 2 3 4 5 6

Cherche l'intrus

L'un des Schtroumpfs ci-dessous
est différent des autres. Lequel ?

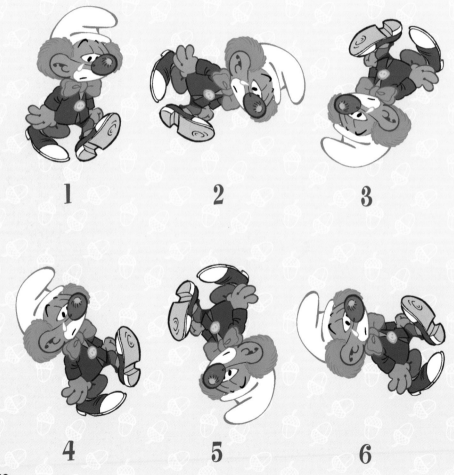

1

2

3

4

5

6

Compte les balles et les étoiles

Combien y a-t-il de balles et d'étoiles
dans cette image ?

Cherche... et trouve !

Le Bébé Schtroumpf veut atteindre sa bouée,
quel chemin doit-il suivre ?

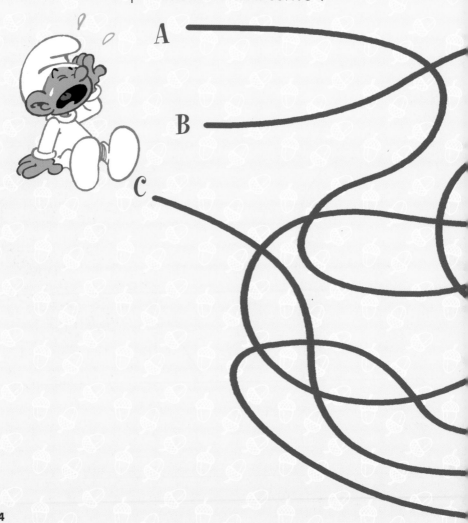

Solution des jeux

Ombres (page 36)

La bonne ombre est la E.

Puzzle (page 37)

Le bon ordre est : 3, 4, 1, 5, 2.

Jeu des différences (pages 38-39)

Te souviens-tu ? (page 40)

1- Une de ses dents lui fait mal.
2- Ils sortent le manège.
3- Le Schtroumpf Costaud.

Méli-mélo (page 41)

L'intrus est l'image 5.

Cherche l'intrus (page 42)

C'est le Schtroumpf n° 5.

Compte les balles et les étoiles (page 43)

Il y a 6 balles et 6 étoiles.

Cherche... et trouve (pages 44-45)

Le chemin correct est le A.

Retrouve dans

ma p'tite
collec'
hachette

les SCHTROUMPFS

Retrouve les Schtroumpfs à travers une histoire schtroumpfement inédite et passionnante. Amuse-toi avec eux grâce aux jeux que tu schtroumpferas à la fin du livre !

dès 4 ans

4,50 € Prix TTC France
ISBN : 978-2-01-226575-2

22.6575.9   VIII-2009

ma p'tite collec'
hachette

9 782012 265752

W8-BIW-513